O ente e a essência

Dados Internacionais de Catalogação na Publicação (CIP)
(Câmara Brasileira do Livro, SP, Brasil)

Tomás de Aquino, Santo, 1225-1274.
O ente e a essência / Santo Tomás de Aquino ; tradução de Carlos Arthur do Nascimento ; apresentação de Francisco Benjamin de Souza Neto. 2. ed. – Petrópolis, RJ : Vozes, 2014. (Vozes de Bolso)

7ª reimpressão, 2022.

ISBN 978-85-326-4511-1

1. Filosofia medieval 2. Tomás de Aquino, Santo, 1225–1274 I. Souza Neto, Francisco Benjamin de. II. Título.

95-1139 CDD-189.4

Índices para catálogo sistemático:
1. Tomismo : Filosofia medieval 189.4

Santo Tomás de Aquino

O ente e a essência

Tradução de Carlos Arthur do Nascimento
Apresentação de Francisco Benjamin de Souza Neto

Vozes de Bolso

Tradução realizada a partir do original em latim intitulado
De ente et essentia

Rua Frei Luís, 100
25689-900 Petrópolis, RJ
www.vozes.com.br
Brasil

Editoração: Fernanda Rezende Machado
Diagramação: Sheilandre Desenv. Gráfico
Capa: visiva.com.br

ISBN 978-85-326-4511-1

Este livro foi composto e impresso pela Editora Vozes Ltda.

Sumário

... ção de M.-D. Roland-Gosselin, OP, com o texto dos ...

Esta edição reproduz a anterior de 1995 apenas com algumas correções ortográficas. É preciso também assinalar a existência de duas outras traduções para o português não mencionadas na edição anterior: a de Mário A. Santiago de Carvalho, Porto, Edições Contraponto, 1995, e a de Maria José Figueiredo, Lisboa, Instituto Piaget, 2000.

O opúsculo *De ente et essentia**

Uma breve introdução

Os historiadores parecem de acordo em datar o opúsculo sobre o ente e a essência entre os anos de 1252 e 1256, quando Tomás de Aquino exercia seu primeiro magistério no Studium Generale dos dominicanos na Universidade de Paris. Trata-se, portanto, de uma obra de juventude, decisiva, porém, na medida em que torna transparentes as diretrizes gerais da metafísica do autor, que, certamente, há de ser ulteriormente precisada e aperfeiçoada em seus pormenores, mas jamais reexposta em seu movimento de conjunto como ocorre no escrito aqui apresentado.

Observe-se a respeito ser sempre difícil captar este movimento em autores antigos e medievais; em Tomás de Aquino isto é possível quanto à Teologia, mas só o é quanto à Metafísica graças ao opúsculo em pauta.

O século XX foi generoso em editar o *De ente et essentia*. Já em 1926 a livraria J. Vrin publicava a edição de M.D. Roland Gosselin, OP, com o texto, dois

---

* Esta edição reproduz a anterior de 1995 apenas com algumas correções ortográficas. É preciso também assinalar a existência de duas outras traduções para o português não mencionadas na edição anterior: a de Mário A. Santiago de Carvalho, Porto, Edições Contraponto, 1995, e a de Maria José Figueiredo, Lisboa, Instituto Piaget, 2000.

alentados estudos sobre a individuação e a distinção entre a essência e ser e, obviamente, uma excelente introdução. A obra foi reimpressa em 1948. Nesta altura, C. Boyer publicara em Roma seu *S. Thomae Aquinatis de ente et essentia, textus et documenta*, 1946. Foi o texto estabelecido nesta edição reproduzido entre nós por Dom Odilão Moura, Rio, Presença, 1981, que o fez acompanhar de uma introdução à qual remetemos o leitor, enriquecendo também a obra com uma tradução nova, uma concordância e anotações de grande valia para o leitor moderno. Pouco após, em 1949, era o mesmo texto editado por J. Perrier em *S. Thomae Aquinatis opuscula omnia necnon opera minora*, Paris, Lethielleux, tomus primus, p. 24-50. Enfim, em 1976, no tomus XLIII da *Opera omnia iussu Leonis XIII P.M. Edita*, Editori di San Tommaso, Santa Sabina, Roma, p. 369-381, é dada à luz a edição crítica do *De ente et essentia*. O autor da presente tradução consultou estas edições, a última já com a tradução pronta com base no texto estabelecido por Boyer. Consultou ele também as seguintes traduções, além da já citada de D.O. Moura: L. Lituma e A.W. Reyna, *Santo Tomás de Aquino, Del ente y de la esencia*, B. Aires, Losada, 1940; J. Cretella Jr., *Sobre o ente e a essência*, São Paulo, 1952; R. Allers, *Thomas Von Aquin, Über das Sein und das Wesen*, Frankfurt, Fischer Bücherei, 1959; L.J. Baraúna, *Santo Tomás de Aquino, O ente e a essência*, São Paulo, Abril, 1973, v. VIII, p. 7-22. Esta tradução é absolutamente inutilizável em razão da má qualidade do original latino, defeito que compromete também a tradução de Cretella, acima citada, esta preservando, entretanto, o mérito histórico de haver sido a primeira tradução feita no Brasil. Com efeito, é aí utilizado o texto constante do comentário de Tomás de Vio, o Caetano, o qual se assinala por múltiplas corrupções, como uma comparação com edições melhores pode atestá-lo (cf. *De ente et essentia D. Thomae Aquinatis Commentaria*,

P.M.H. Laurent, Taurini, Marietti, 1934, a qual reproduz a edição de 1820).

A obra de Tomás de Aquino acabou por se assinalar por uma variedade que exige do leitor uma hermenêutica igualmente variada. Há os comentários, bíblicos, teológicos ou filosóficos; há as duas Sumas, estruturalmente diferentes; há o compêndio de teologia e os opúsculos, e há algo mais. Não é o momento de apreciar este universo literário tão especial. De qualquer forma, enquanto a *Suma contra os gentios* preludia o tratado moderno, um opúsculo como o *De ente et essentia*, inspirado nos livros da Metafísica de Aristóteles, mais se assemelha a um ensaio com a peculiaridade de ser apodítico, consequente e concludente, o que não é habitual nos ensaios filosóficos, ao menos os recentes. Nele é manifesto que o autor expõe e demonstra o que pensa e não o que depara em suas fontes, mesmo quando atribui a estas as teses que defende. Por outro lado, o texto se afigura mais fluente ao leitor moderno em razão de não reproduzir a forma e as regras da "quaestio". Nesse sentido, está ele mais para a *Suma contra os gentios* do que para a de teologia. Assim, é mais fácil deixar ao leitor depreender se o seu pensamento é realista, se é ôntico ou ontológico ou mais o que se queira, do que ocorre com outros escritos. Eis por que esta introdução se permite limitar-se a realçar o que lhe parecem ser os momentos lógicos do discurso em que consiste.

O *terminus a quo* de toda a metafísica de Santo Tomás é o ENS. É desde a divisão deste que as peculiaridades do pensamento se desvelam. De início, *ens* e *essentia* se divisam como "aquilo" que, primeiro, o intelecto concebe. Com isto elimina-se todo realismo ingênuo. Ao contrário, assume-se o "ens qua ens", mas este só se tem em conta de acessível em seu ser concebido pelo intelecto. Isto equivale a dizer que é só enquanto concebido que o ente e a essência são acessíveis. É, portanto, a potência ativa de conceber que faz o homem capaz do ente e da essência. O longo itinerário que este percorre entre a "sensatio" a mais extrínseca e a "conceptio" só nesta se eleva ao ente, embora este esteja sempre necessariamente na origem de todos os momentos psicogenéticos do processo cognitivo. No mínimo isto equivale a dizer que é só então que há saber conceptivo, porque é só então que o ente se rende ao homem. É justo pensar que ocorre aí o dom da universalidade. Mas não é esta que ocupa o primeiro plano nas preocupações de Tomás de Aquino; é antes de tudo o estatuto originário e originante do ente no intelecto que lhe interessa. Originário, o ente não é apenas fundante "in abstracto", isto é, abrangente, mas é nele que se capta o que é em sua potência, em sua essência e em seu ser. Donde ser a divisão do ente a divisão do real, da esfera das "coisas", já que esta é simplesmente a esfera "do que é". O real é apenas a denominação recente da totalidade discreta dos entes.

Dada sua concepção, dado como conceito, pode ser o ente dividido, seja no que enuncia a verdade da proposição, seja no que compreende os dez predicamentos. Todavia, no primeiro caso ele compreende o nada, *privatio et negatio*. Ora, como o nada simplesmente não é, resta a afirmação do ente enquanto divisível nos dez predicamentos e, porque estes não se dizem de modo equívoco, mas com referência à substância, importa primeiro considerar como o ente e a essência nesta se efetivam. Por sua vez, podendo ser a substância simples ou composta, seria o caso de se principiar por aquela para chegar a esta. Tomás de Aquino opta pela via inversa por uma precisa razão: tudo que cai imediatamente sob o alcance do saber humano é composto. Em verdade, o homem se eleva deste ao simples, do que é posterior ao que é anterior, do que é segundo ao que é primeiro: eis o "ordo inventionis" do *processus* humano de cognição.

É na substância composta que primeiro o intelecto demanda a essência e, nesta, ela se revela irredutível não só à matéria, mas também à forma tomada em separado. A substância composta é, por definição, matéria e forma, mais precisamente, forma na matéria determinada por certa forma. Jamais se depara com a matéria-prima a ser em estado puro. Mas o mesmo não ocorre com a forma. Assim como é ela que torna cognoscível a matéria, em si mesma incognoscível, porque indeterminada, desde o seu ser na matéria, ela, a forma, abre o caminho primeiro para a investigação da possibilidade, depois da efetividade de formas às quais caiba ser independentemente da matéria. Parte-se do intelecto potencial ou possível que se torna a forma do ente que conhece, mas sem que, para isto, esta se faça inerente à matéria, embora a cognição capte e preserve a referência a esta. Obra do intelecto agente, este modo de ser da forma sem a matéria, conferido a formas que, na natureza das coisas, são inerentes à matéria, desvela ser o intelecto, enquanto intelecto, isento da materialidade: nada pode ser inferior em perfeição àquilo a que confere o ser. Uma vez demonstrada esta isenção, abre-se o caminho à especulação sobre as substâncias separadas. Estas seriam idênticas à forma. O que quer que se pense de tanta generosidade com uma simples possibilidade, a separabilidade da forma tem-se em conta de indissociável de seu primado sobre a matéria. Tudo o que um ente é, ele o é por força e em razão de sua forma, sem prejuízo das causas externas. Pode-se pensar em um "platonismo via Aristóteles", mas é prudente não avançar sem cautela, mesmo porque é ampla e variada a mediação patrística. É na substância composta limítrofe, o homem, que a imaterialidade da forma se desvela no próprio ato de se conhecer por conceitos.

A substância simples é a expressão quase necessária do primado da forma. Ela só não chega a tal necessidade, porque todo ente até aqui estudado tem uma essência inidêntica a seu ser. Isto não se diz expressamente até que a alusão à substância simples importe a consideração do que, de início, se diz Ente primeiro, aqui no sentido de primordial, em verdade o ente suprassubstancial e o Puro Ser. Ato puro, inferido a partir da própria atualidade do simplesmente possível, o nosso contingente, nele não se trata mais de identidade essência-forma, mas *essentia-esse*. É possível divisar, nesta altura do *De ente et essentia*, a metafísica subjacente às cinco vias. Para além da forma, é divisado o ser, ESSE e não ENS. A argumentação pressupõe a teoria geral da substância, até aqui exposta, ainda que de forma concisa: tudo o que não é o seu esse, recebe-o: ora, o Ato Puro, pressuposto pela própria atualidade do possível, da matéria à forma desta isenta, por definição não é receptivo, porque isento de toda passividade; logo é puro ESSE. Tal identidade é plenitude de ser, não indigência; não é ela carência da essência, mas o próprio ser supraessencial, supereminentemente compreensivo de toda a escala das perfeições da essência. Insusceptível de ser recebido, tal esse não pode ser o ser do mundo como totalidade nem multiplicar-se, pois o multiplicar-se exige a adição da diferença e a pureza do ato implica a absoluta simplicidade irreceptiva de um ato subsequente. *A fortiori*, exclui-se a matéria, pois esta importaria composição.

Há, portanto, um lugar entre o puro ESSE e a substância composta, para a substância separada, pura forma. A angelologia há de instalar-se no âmbito desta possibilidade metafísica. Apenas, importa notar que, simples como essências porque puras formas, tais substâncias são, como entes, distintas do ser que lhes cabe.

São elas também únicas no ser que lhes cabe, pois, sendo puras formas, não há nelas ou fora delas qualquer fator de multiplicação numérica. Com efeito, no que concerne às substâncias compostas, Tomás de Aquino defende aqui e após a tese segundo a qual a multiplicação destas se faz em razão da matéria assinalada pela quantidade, tese esta que há de ser um dos aspectos mais discutidos de seu pensamento.

Feita a precisão acima, o pensamento humano, o quanto é-lhe possível, abrange o ente na totalidade de suas possibilidades, do puro ESSE à pura potência, do absolutamente necessário ao simplesmente possível. É só então que, no movimento conjunto do opúsculo, o autor se permite traçar a escala hierárquica dos entes, que desce do Ato Puro de ser, o ESSE, passa pela potência em relação ao ser e desce à potência em relação à forma, à matéria-prima. O capítulo V do *De ente et essentia* é a brilhante e concisa exposição desta concepção. Com ele, chega o autor ao "ordo essendi" de sua ontologia. Mas, antes de isto poder ocorrer, foi-lhe necessário, em seu modo de ver, partir do ente como "prima conceptio", proceder à análise da constituição intrínseca da substância composta, discernir, em seguida, o exato teor da relação forma-matéria, elevar-se adiante à forma sem matéria, à substância simples, detectar a necessidade, entre estas, da substância em verdade suprassubstancial, fundante e originante de todas as demais inclusive quanto ao ser destas, para, enfim, divisar a absoluta necessidade de a essência desta ser idêntica a seu ser, isto é, de ela apenas ser o seu ESSE. Só então é possível discernir a ordem no ser e operar a síntese do capítulo V.

É manifesto, trata-se de uma ontologia que não só reconhece o primado do ato, a "enérgeia" de Aristóteles, sobre a potência, a "dynamis", mas que faz deste primado o princípio segundo o qual se articula o movimento com o qual perfaz o conhecimento do ente, elevando-se do primado da forma na constituição da essência ao primado do ser na constituição do ente e sobre o próprio ente ao inferir a necessidade de o ente primeiro ser puramente SER, princípio, origem e fundamento de todo ente e de cada ente a cuja essência confere o ser que lhe cabe como ato. Observe-se, a propósito, que nosso autor não atribui à palavra existência o valor de sinônimo de ser em toda a universalidade deste, dela se valendo e do verbo que lhe corresponde para casos particulares de ser, como forma linguística complementar e sempre com muita usura.

O capítulo VI do opúsculo, como se previra, é dedicado a precisar como e em que sentido é a essência nos acidentes. Ora, assim como o acidente não pode ser definido sem o sujeito ao qual é inerente, não lhe cabe o ser substancial, mas o acidental, não lhe cabe também a razão de uma essência completa. Nesta altura, Santo Tomás fala ainda de ser acidental e de certo ser segundo que o acidente causa. Esta linguagem, posteriormente, há de parecer conceder demais ao acidente e ele dirá que todo o ser deste consiste em ser-em, "inesse" (cf. por exemplo, a *Suma de teologia* I, q. 28 a.2 c). Não é o momento de se reconstituir a caminhada nesta direção, mas à altura do IV livro do *Comentário às sentenças* ela já está encetada. A consideração deste pormenor dá ensejo a que se precise o lugar do *De ente et essentia* na obra de seu autor: é ele um marco decisivo; as posições aí adotadas decidem em grande parte o destino do pensamento ao qual dá forma: o ente, a essência, o ser, a substância em suas divisões e em sua individuação, o acidente, as relações de tudo isto com as intenções lógicas, mas nada disto obsta que precisões assinalem certa evolução que, como no caso exemplificado, são exigências do próprio pensamento em seus princípios e formas. É manifesto, porém, que quaisquer transformações e a determinação de seu alcance, aperfeiçoamento ou ruptura, é algo a ser determinado em nível monográfico, caso por caso. Permanece, todavia, válido ser o *De ente et essen-*

tia a exposição da metafísica tomista em seu movimento de conjunto: nada em sua obra pode ser alegado contra esta tese.

Eis o que foi possível dizer, em breves linhas, no sentido de atrair a atenção do leitor para as teses fundamentais do *De ente et essentia*.

Francisco Benjamin de Souza Neto
Departamento de Filosofia - Unicamp

Prólogo

1 – Visto que, de acordo com o Filósofo no 1º livro *Do céu e do mundo* (I, 5, 271b, 8-13), um pequeno erro no princípio é grande no fim e, por outro lado, como diz Avicena no primeiro livro de sua *Metafísica* (I,6, 72b, A), o ente e a essência são o que é concebido primeiro pelo intelecto, para não acontecer que se erre por ignorância deles, para dissipar-lhes a dificuldade, importa dizer o que é significado pelo nome de essência e de ente, como se encontra em diversos e como está para as intenções lógicas, isto é, o gênero, a espécie e a diferença.

2 – Deve-se passar da significação de ente à significação de essência, de tal modo que, começando pelo mais fácil, o aprendizado se dê de maneira mais adequada, pois devemos receber o conhecimento do simples a partir do composto e chegar ao anterior a partir do posterior.

Capítulo

[illegible]

[illegible] precisa que a essência signifique algo comum a todas as naturezas pelas quais os diversos entes são colocados nos diversos gêneros e espécies, assim como a humanidade é a essência do homem e igualmente a respeito dos demais.

[illegible] – E, visto que aquilo pelo que a coisa é estabelecida no próprio gênero ou espécie é isto que é significado pela definição indicando o que a [illegible]

Capítulo I

3 – Cumpre saber que, assim como diz o Filósofo no quinto livro da *Metafísica* (V, 7, 1017a, 22), o ente por si se diz de dois modos: de um modo que é dividido por dez gêneros; de outro modo, significando a verdade das proposições. A diferença destes é que, do segundo modo, pode ser dito ente tudo aquilo do qual pode ser formada uma proposição afirmativa, ainda que aquilo nada ponha na coisa; modo pelo qual as privações e negações são ditas entes, pois dizemos que a afirmação é oposta à negação e que a cegueira está no olho. Mas, do primeiro modo, não pode ser dito ente senão aquilo que põe algo na coisa. Donde a cegueira e similares não serem entes do primeiro modo.

4 – Portanto, o nome de essência não deriva de ente, dito do segundo modo, pois, deste modo, algo, que não tem essência, é dito ente, como é evidente nas privações; mas, essência deriva de ente dito do primeiro modo. Daí, o Comentador dizer, no mesmo lugar (In: *Met.*, V, 14, 55e 56), que "o ente dito do primeiro modo é o que significa a essência da coisa". E, visto que, como já se disse, o ente dito deste modo é dividido por dez gêneros, é preciso que a essência signifique algo comum a todas as naturezas, pelas quais os diversos entes são colocados em diversos gêneros e espécies, assim como a humanidade é a essência do homem e igualmente a respeito dos demais.

5 – E, visto que aquilo pelo que a coisa é estabelecida no próprio gênero ou espécie é isto que é significado pela definição indicando o que a

coisa é, daí vem que o nome de essência é transformado pelos filósofos no nome de quididade; e isto é o que o Filósofo denomina frequentemente "aquilo que algo era ser", quer dizer, isto pelo que algo tem o ser algo. É dito também forma, na medida em que a certeza de cada coisa é significada pela forma, como diz Avicena no segundo livro de sua *Metafísica* (II, 2, 56a, C). Isto também é, através de outro nome, dito natureza, tomando natureza de acordo com o primeiro daqueles quatro modos assinalados por Boécio no livro *Sobre as duas naturezas* (c.l, Pl t. 64, col. 1341 BC), isto é, na medida em que se diz natureza tudo aquilo que, seja como for, pode ser captado pelo intelecto. Pois, a coisa não é inteligível senão pela sua definição e sua essência; e, deste modo, o Filósofo também diz no quinto livro da *Metafísica* (V, 4, 1015a, 12) que toda substância é natureza.

6 – No entanto, o nome de natureza tomada deste modo parece significar a essência da coisa na medida em que está ordenada à operação própria da coisa, uma vez que nenhuma coisa é destituída de operação própria. O nome quididade deriva, porém, disto que é significada pela definição; mas, é dita essência na medida em que, por ela e nela, o ente tem o ser.

7 – Como, porém, o ente se diz de maneira absoluta e por primeiro das substâncias e, posteriormente e como que sob um certo aspecto, dos acidentes, daí vem que há também essência, própria e verdadeiramente, nas substâncias, mas há nos acidentes, de um certo modo e sob um certo aspecto.

8 – Algumas das substâncias, porém, são simples e algumas compostas e em ambas há essência, mas nas simples de um modo mais verdadeiro e nobre, de acordo com o que têm também um ser mais nobre; são, com efeito, causa das que são compostas, pelo menos a substância primeira e simples que é Deus.

9 – Mas, como as essências daquelas substâncias nos são mais ocultas, daí devermos começar pelas essências das substâncias compostas, a fim de que, principiando pelo mais fácil, processe-se um aprendizado mais adequado.

Capítulo II

10 – Portanto, nas substâncias compostas nota-se a forma e a matéria, como no homem a alma e o corpo. Não se pode, porém, dizer que apenas um deles seja denominado essência.

11 – De fato, que a matéria sozinha não seja a essência da coisa é patente, pois a coisa tanto é cognoscível como é classificada numa espécie ou num gênero pela sua essência; ora, nem a matéria é princípio de conhecimento, nem algo é fixado num gênero ou espécie graças a ela, mas graças àquilo que algo é em ato.

12 – Também a forma sozinha não pode ser denominada essência da substância composta, embora alguns se esforcem por afirmá-lo. Com efeito, pelo que foi dito, evidencia-se que a essência é aquilo que é significado pela definição da coisa. Ora, a definição das substâncias naturais contém não apenas a forma, mas também a matéria; pois, de outro modo, as definições naturais e matemáticas não difeririam.

13 – Também não se pode dizer que a matéria é posta na definição da substância natural como um acréscimo à sua essência ou como um ente fora de sua essência, porque este tipo de definição é próprio aos acidentes que não têm uma essência perfeita; donde ser preciso que recebam na sua definição o sujeito que está fora do seu gênero. É claro, portanto, que a essência compreende a matéria e a forma.

14 – Não se pode, porém, dizer que a essência signifique a relação que há entre a ma-

téria e a forma, ou algo acrescentado a estas, pois isto seria necessariamente um acidente e estranho à coisa, nem, por ela, a coisa seria conhecida – tudo o que, cabe à essência. De fato, pela forma que é ato da matéria, a matéria é tornada ente em ato e este algo. Donde, aquilo que sobrevém não dar à matéria o ser em ato simplesmente, mas o ser em ato tal, como também os acidentes fazem; por exemplo, a brancura faz branco em ato. Daí, quando tal forma é adquirida, não se fala de gerar-se simplesmente, mas sob um certo aspecto.

15 – Resta, pois, que o nome de essência nas substâncias compostas significa aquilo que é composto de matéria e forma. Com isto harmoniza-se a palavra de Boécio no *Comentário dos predicamentos* (In: *Cat.*, c.l, PL.64, 184A), onde diz que ousía significa o composto. Com efeito, ousía entre os gregos é o mesmo que essência entre nós, como ele mesmo diz no livro *Sobre as duas naturezas* (c.3, PL.64, 1344CD). Avicena também diz (*Metafísica*, V, 5, 90a F) que a quididade das substâncias compostas é a própria composição de forma e matéria. O Comentador também diz no *Comentário sobre o livro sétimo da Metafísica* (In: *Metaph.*, VII, 7, 27, f.83 c.41): "A natureza que as espécies nas coisas sujeitas à geração têm é algo intermediário, isto é, composto de matéria e forma".

16 – Com isto concorda também a razão, pois o ser da substância composta não é apenas da forma, nem apenas da matéria, mas do próprio composto; ora, a essência é de acordo com o que a coisa é dita ser: daí, ser preciso que a essência, pela qual a coisa é denominada ente, seja, não apenas a forma, nem apenas a matéria, mas ambas, embora, a seu modo, somente a forma seja causa deste ser. Pois, assim o vemos em outros que são constituídos de vários princípios, que a coisa não é denominada a partir apenas de um daqueles princípios, mas a partir daquele que abarca ambos, como é claro nos sabores, pois a doçura

é causada pela ação do quente que digere o úmido e, embora o calor seja, desta maneira, causa da doçura, no entanto, o corpo não é denominado doce pelo calor, mas pelo sabor que abarca o quente e o úmido.

17 – Mas, como o princípio de individualização é a matéria, disto talvez parecesse decorrer que a essência, que abarca em si simultaneamente a matéria e a forma, seja apenas particular e não universal. Do que decorreria que os universais não teriam definição, se a essência é aquilo que é significado pela definição. Por isso, cumpre saber que a matéria é princípio de individuação, não tomada de qualquer maneira, mas apenas a matéria assinalada. Denomino matéria assinalada a que é considerada sob dimensões determinadas. Esta matéria, no entanto, não é posta na definição do homem na medida em que é homem, mas seria posta na definição de Sócrates se Sócrates tivesse definição. A matéria não assinalada é posta, no entanto, na definição do homem. De fato, não se põe na definição do homem esta carne e este osso, mas carne e osso de maneira absoluta, os quais são a matéria não assinalada do homem.

18 – Assim fica, portanto, claro que a essência do homem e a essência de Sócrates não diferem senão de acordo com o assinalado e o não assinalado. Daí dizer o Comentador no *Comentário sobre o livro sétimo da Metafísica* (*In*: *Metaph.* VII, 5, Com.20,20a23) que "Sócrates nada mais é que animalidade e racionalidade, que são sua quididade". Assim, também a essência do gênero e a essência da espécie diferem de acordo com o assinalado e o não assinalado, embora haja outro modo de designação num e noutro caso. Pois, a designação do indivíduo a respeito da espécie é pela matéria determinada pelas dimensões; a designação, porém, da espécie a respeito do gênero é pela diferença constitutiva, que é tomada da forma da coisa.

19 – Esta determinação ou designação, porém, que está na espécie a respeito do gênero, não é através de algo existente na essência da espécie, que não esteja de modo nenhum na essência do gênero; até mesmo, tudo que está na espécie, está também no gênero como não determinado. Pois, se o animal não fosse tudo que é o homem, mas uma parte dele, não seria predicado dele, visto que nenhuma parte integral se predica do seu todo.

20 – Se se observar, porém, a maneira como diferem o corpo, na medida em que é posto como parte do animal, e, na medida em que é posto como gênero, pode-se ver como isto acontece. Pois não pode ser gênero do modo como é parte integral. Portanto, este nome que é corpo pode ser tomado de várias maneiras. Pois é denominado corpo, na medida em que está no gênero da substância, por ter tal natureza que nele podem ser designadas três dimensões: no entanto, as próprias três dimensões designadas são o corpo que está no gênero da quantidade. Acontece, porém, nas coisas que aquilo que tem uma perfeição aceda também a uma perfeição ulterior; como é claro no homem, que tem a natureza sensitiva e, além disso, a intelectiva. De modo semelhante, também pode ser adicionada outra perfeição, como a vida ou algo deste tipo, sobre esta perfeição que é ter tal forma que nela possam ser designadas três dimensões. Portanto, este nome corpo pode significar uma certa coisa que tem tal forma, da qual decorre nela a designabilidade de três dimensões exclusivamente, de tal maneira que daquela forma não resulte nenhuma perfeição ulterior, mas se algo a mais sobrevier, esteja à parte da significação de corpo assim denominado. Deste modo, corpo será parte integral e material do animal; pois, assim, a alma estará à parte daquilo que é significado pelo nome de corpo e será superveniente ao próprio corpo, de tal modo

que o animal é constituído de ambos, isto é, do corpo e da alma, como de partes.

21 – Este nome corpo pode também ser tomado de tal modo que signifique uma certa coisa que tem tal forma a partir da qual três dimensões possam ser designadas nela, qualquer que seja aquela forma, quer alguma perfeição ulterior possa provir dela, quer não. Deste modo, corpo será gênero de animal, pois em animal nada há a tomar que não esteja contido implicitamente em corpo. Pois a alma não é outra forma distinta daquela pela qual as três dimensões poderiam ser designadas naquela coisa. Assim, quando se dizia que "corpo é o que tem tal forma, a partir da qual três dimensões podem ser designadas nele", entendia-se qualquer forma que fosse, quer a alma, quer a petreidade, quer qualquer outra. Assim, a forma do animal está contida implicitamente na forma do corpo, na medida em que corpo é seu gênero.

22 – Esta é também a relação de animal para com homem. De fato, se animal denominasse apenas uma certa coisa que tem tal perfeição que possa sentir e mover-se por um princípio existente nele, com exclusão de outra perfeição, então qualquer outra perfeição ulterior que sobreviesse estaria para com animal a modo de comparte e não como implicitamente contida na noção de animal e, assim, não seria gênero. Mas, é gênero na medida em que significa uma certa coisa de cuja forma podem provir os sentidos e o movimento, qualquer que seja aquela forma, quer seja apenas alma sensível, quer seja sensível e racional simultaneamente.

23 – Assim, portanto, o gênero significa indeterminadamente o todo que está na espécie, pois não significa apenas a matéria.

Semelhantemente, também a diferença significa o todo e não significa apenas a forma; e também a definição significa o todo ou ainda a espécie.

Mas, diferentemente, pois o gênero significa o todo como uma certa denominação determinando o que é material na coisa sem determinação da forma própria; donde o gênero ser tomado a partir da matéria, embora não seja a matéria. Como é claro pois denomina-se corpo a partir do fato de ter tal perfeição que três dimensões possam ser designadas nele, a qual perfeição, na verdade, está, como que materialmente, para com uma perfeição ulterior. No entanto, a diferença é, ao contrário, como uma certa denominação tomada da forma determinada, à parte de que a matéria determinada entre na sua intelecção primeira; como é claro quando se diz animado, isto é, aquilo que tem alma; pois, não se determina o que é, se corpo ou algo distinto. Donde, Avicena (*Metaf.*, V, 6, 90c, B-C) dizer que o gênero não é inteligido na diferença como parte de sua essência, mas apenas como um ente à parte da essência, assim como o sujeito também pertence à intelecção das afecções. Por isso, também o gênero não se predica da diferença falando propriamente, como diz o Filósofo no terceiro livro da *Metafísica* (III, 3, 998b, 24) e no quarto dos *Tópicos* (VI, 6, 144a, 32; cf. IV, 2, 122b 20), a não ser talvez como o sujeito predica-se da afecção. Mas, a definição ou espécie compreende ambos, isto é, a matéria determinada que o nome do gênero designa e a forma determinada que o nome da diferença designa.

24 – A partir disso, fica clara a razão por que o gênero, a espécie e a diferença estejam proporcionalmente para com a matéria, a forma e o composto, na natureza, embora não sejam idênticos a eles; pois, nem o gênero é a matéria, mas tomado da matéria como significando o todo; nem a diferença é a forma, mas tomada da forma, como significando o todo. Daí dizermos que o homem é animal racional e não resultante de animal e de racional, como dizemos que ele resulta da alma e do corpo. De fato, se diz que o

homem resulta da alma e do corpo, assim como, a partir de duas coisas, é constituída uma terceira, que não é nenhuma delas. Com efeito, o homem não é nem a alma, nem o corpo. Mas se, de algum modo, se disser que o homem resulta do animal e do racional, não será assim como uma terceira coisa a partir de duas coisas, mas assim como uma terceira intelecção a partir de duas intelecções. De fato, a intelecção de animal exprime a natureza da coisa, sem determinação da forma especial, a partir do que é material a respeito da perfeição última. No entanto, a intelecção desta diferença racional consiste na determinação da forma especial; a intelecção da espécie ou da definição é constituída a partir destas duas intelecções. Deste modo, assim como uma coisa constituída a partir de outras não recebe predicação das coisas a partir das quais é constituída, igualmente a intelecção não recebe predicação das intelecções a partir das quais é constituída; de fato, não dizemos que a definição é o gênero ou a diferença.

25 – No entanto, embora o gênero signifique toda a essência da espécie, nem por isto é preciso que seja única a essência das diversas espécies cujo gênero é idêntico, pois a unidade do gênero procede da própria indeterminação ou indiferença. Não, porém, de tal modo que aquilo que é significado pelo gênero seja uma natureza numericamente una nas diversas espécies, à qual sobrevenha outra coisa que seja a diferença determinando-o, assim como a forma determina a matéria que é numericamente una; mas, porque o gênero significa alguma forma, não porém determinadamente esta ou aquela, que a diferença exprime determinadamente, a qual não é outra senão aquela que era significada indeterminadamente pelo gênero. Deste modo, diz o Comentador no décimo primeiro livro da *Metafísica* (In: *Metaph*., XI, 14, 141 c53-d18) que a matéria-prima é denominada una pela remoção de todas as formas, mas o gênero é denominado

uno pela comunidade da forma significada. Donde ser claro que, pela adição da diferença, removida aquela indeterminação que era causa da unidade do gênero, permanecem diversas as espécies pela essência.

26 – E já que, como foi dito, a natureza da espécie é indeterminada a respeito do indivíduo, assim como a natureza do gênero a respeito da espécie, daí vem que, assim como aquilo que é gênero, visto que se predicava da espécie, implicava na sua significação, embora indistintamente, o todo que está determinadamente na espécie, também, do mesmo modo, é preciso que aquilo que é espécie, na medida em que se predica do indivíduo, signifique o todo que está essencialmente no indivíduo, embora indistintamente; é deste modo que a essência da espécie é significada pelo nome de homem; donde, homem predicar-se de Sócrates. Se, porém, a natureza da espécie for significada com exclusão da matéria designada, que é o princípio de individuação, assim, portar-se-á a modo de parte. Deste modo é significada pelo nome de humanidade; de fato, humanidade significa aquilo donde procede que o homem seja homem. A matéria designada, porém, não é aquilo donde procede que o homem seja homem, e assim, não está contida de modo nenhum naquilo a partir do que o homem tem o ser homem. Como, portanto, humanidade inclui na sua intelecção apenas aquilo a partir do que o homem tem o ser homem, fica claro que se exclui da significação a matéria designada ou que se prescinde desta. E, como a parte não é predicada do todo, daí procede que humanidade não se predica nem de homem, nem de Sócrates.

27 – Daí Avicena dizer (*Metaf.*, V, 5, 90a, F) que a quididade do composto não é o próprio composto do qual é quididade, embora até a própria quididade seja composta; como a humanidade, embora seja composta, não é o homem, sendo mesmo preciso que seja recebida em algo que é a matéria designada.

28 - Mas, visto que, como foi dito, a designação da espécie a respeito do gênero se dá pela forma, a designação, porém, do indivíduo a respeito da espécie se dá pela matéria, assim, é preciso que o nome significando aquilo de onde é tomada a natureza do gênero, com exclusão da forma determinada que perfaz a espécie, signifique a parte material do todo, assim como o corpo é a parte material do homem; no entanto, o nome significando aquilo de onde é tomada a natureza da espécie, com exclusão da matéria designada, significa a parte formal; deste modo, a humanidade é significada como uma certa forma, e diz-se que é a forma do todo; não por certo como que acrescentada às partes essenciais, isto é, à forma e à matéria, assim como a forma da casa é acrescentada às suas partes integrais; mas, ela é antes uma forma que é um todo, isto é, abarcando a forma e a matéria, com exclusão, no entanto, daquilo pelo que a matéria é destinada a ser designada.

29 - Fica assim, portanto, claro que este nome homem e este nome humanidade significam a essência do homem, mas diversamente, como foi dito. Pois, este nome homem a significa como um todo, isto é, na medida em que não prescinde da designação da matéria, mas a contém implícita e indistintamente, como foi dito que o gênero contém a diferença; assim, este nome homem predica-se dos indivíduos. Mas, este nome humanidade a significa como parte, pois não contém na sua significação senão aquilo que pertence ao homem na medida em que é homem e prescinde de toda designação da matéria; daí não predicar-se dos indivíduos do homem. E, por causa disto, às vezes o nome de essência encontra-se predicado da coisa; com efeito, dizemos que Sócrates é uma certa essência; e às vezes se nega, assim como dizemos que a essência de Sócrates não é Sócrates.

Capítulo III

30 – Visto, pois, o que é significado pelo nome de essência nas substâncias compostas, cumpre ver como está para a noção de gênero, de espécie e de diferença.

31 – Entretanto, uma vez que aquilo a que cabe a noção de gênero, de espécie ou de diferença predica-se deste singular assinalado, é impossível que a noção de universal, isto é, de gênero ou de espécie, caiba à essência na medida em que é significada a modo de parte, como pelo nome de humanidade ou de animalidade. E, por isso, Avicena diz (*Metaf.*, V, 6, 90b, A) que a racionalidade não é diferença, mas princípio da diferença; e, pela mesma razão, humanidade não é espécie, nem animalidade gênero.

32 – Do mesmo modo, também não se pode dizer que a noção de gênero ou de espécie caiba à essência na medida em que é uma certa coisa existente fora dos singulares, como sustentavam os platônicos; pois, assim, o gênero e a espécie não seriam predicados deste indivíduo; com efeito, não se pode dizer que Sócrates seja isto que está separado dele; nem, além do mais, aquele separado traria proveito no conhecimento deste singular.

33 – Assim sendo, resta que a noção de gênero ou de espécie caiba à essência, na medida em que é significada a modo de todo, como pelo nome de homem ou de animal, na medida em que contém implícita e indistintamente este todo que está no indivíduo.

34 – Ora, a natureza ou a essência, tomada desta maneira, pode ser considerada de dois mo-

dos. De um modo, de acordo com sua noção própria, e esta é a consideração absoluta dela própria. Deste modo, nada é verdadeiro dela, senão o que lhe cabe enquanto tal; daí, o que quer que seja de distinto que lhe for atribuído, a atribuição será falsa. Por exemplo, ao homem, por ser homem, cabe-lhe o racional, o animal e o demais que entra na sua definição. No entanto, o branco, o preto ou o que quer que seja desse tipo que não é da noção da humanidade, não cabe ao homem, por ser homem. Donde, se se perguntar se esta natureza, assim considerada, possa dizer-se una ou várias, nenhum dos dois deve ser admitido, pois ambos estão fora da intelecção da humanidade e ambos podem advir-lhe. De fato, se a pluralidade fosse da sua intelecção nunca poderia ser una, quando, no entanto, é una na medida em que está em Sócrates. Do mesmo modo, se a unidade fosse da sua noção, então a natureza de Sócrates e de Platão seria uma e a mesma, nem poderia plurificar-se em vários.

35 – É considerada de outro modo, de acordo com o ser que tem nisto ou naquilo. Deste modo, algo predica-se dela por acidente em razão daquilo em que é, assim como se diz que o homem é branco, porque Sócrates é branco, embora isto não caiba ao homem por ser homem.

36 – Esta natureza tem, porém, um duplo ser: um nos singulares, outro na alma e, de acordo com ambos, seguem-se acidentes à citada natureza. Nos singulares tem também um ser múltiplo de acordo com a diversidade dos singulares; no entanto, nenhum destes seres é devido à própria natureza, de acordo com sua primeira consideração, isto é, a absoluta. De fato, é falso dizer que a essência do homem, enquanto tal, tenha o ser neste singular; pois, se ser neste singular coubesse ao homem, na medida em que é homem, nunca seria fora deste singular; semelhantemente também, se coubesse ao homem, na medida em que é ho-

mem, não ser neste singular, nunca seria nele. Mas, é verdadeiro dizer que o homem, não na medida em que é homem, obtém o ser neste singular ou naquele ou na alma. Portanto, é claro que a natureza do homem, absolutamente considerada, abstrai de qualquer ser, de tal modo, porém, que não haja exclusão de nenhum deles. E é esta natureza, assim considerada, que se predica de todos os indivíduos.

37 – Não se pode, porém, dizer que a noção de universal caiba à natureza, assim tomada, pois a unidade e a comunidade são da noção de universal. Ora, nenhum destes cabe à natureza humana, de acordo com sua consideração absoluta. De fato, se a comunidade pertencesse à intelecção do homem, então, em qualquer em que se encontrasse a humanidade, encontrar-se-ia a comunidade, sendo isto falso, pois não se encontra nenhuma comunidade em Sócrates, mas tudo o que há nele é individualizado.

38 – Do mesmo modo, não se pode também dizer que a noção de gênero ou de espécie advenha à natureza humana de acordo com o ser que tem nos indivíduos, pois a natureza humana não se encontra nos indivíduos consoante a unidade, de modo a ser um algo que compete a muitos, o que é exigido pela noção de universal.

39 – Resta, portanto, que a noção de espécie advenha à natureza humana de acordo com aquele ser que tem no intelecto. De fato, a própria natureza humana tem no intelecto um ser abstraído de tudo que individua e, assim, tem uma noção uniforme para com todos os indivíduos que há fora da alma, na medida em que é igualmente semelhança de todos e leva ao conhecimento de todos na medida em que são homens. E, por ter tal relação para com todos os indivíduos, o intelecto descobre a noção de espécie e lha atribui; donde, o Comentador dizer, no princípio do *Sobre a alma* (In: *De An.*, I, 8, 4v), que "o intelecto é que pro-

duz a universalidade nas coisas"; Avicena também diz isto na sua *Metafísica* (V, 1-2, 87b, E; 87c-d, C-D).

40 – E, embora esta natureza inteligida tenha noção de universal, na medida em que é comparada com as coisas fora da alma, pois é semelhança una de todas, na medida em que tem ser neste ou naquele intelecto, é uma certa espécie inteligida particular. E, assim, é clara a falha do Comentador no terceiro livro *Sobre a alma* (*In*: *De An.*, III, 5, 117v) que pretendeu concluir a unidade do intelecto em todos os homens, da universalidade da forma inteligida. Pois, a universalidade desta forma não se dá de acordo com este ser que tem no intelecto, mas na medida em que se refere às coisas como semelhança das coisas. Do mesmo modo também, se houvesse uma estátua corporal representando muitos homens, consta que aquela imagem ou espécie da estátua teria ser singular e próprio, na medida em que estivesse nesta matéria; mas teria a noção de comunidade, na medida em que fosse a representação comum de vários.

41 – E, como cabe à natureza humana, de acordo com sua consideração absoluta, que seja predicada de Sócrates e a noção de espécie não lhe convém de acordo com sua consideração absoluta, mas é dos acidentes que a acompanham em conformidade com o ser que tem no intelecto, assim o nome de espécie não é predicado de Sócrates, de modo que se diga Sócrates é espécie, o que aconteceria, por necessidade, se a noção de espécie coubesse ao homem de acordo com o ser que tem em Sócrates, ou de acordo com sua consideração absoluta, isto é, na medida em que é homem; de fato, o que quer que cabe ao homem, na medida em que é homem, predica-se de Sócrates.

42 – E, no entanto, ser predicado cabe, por si, ao gênero visto que é posto na sua definição. De fato, a predicação é algo que se completa pela

ação do intelecto que compõe e divide, tendo fundamento na própria coisa, a unidade daqueles dos quais um é dito do outro. Donde a noção de predicabilidade pode estar encerrada na noção desta intenção que é o gênero, a qual, semelhantemente, completa-se pela ação do intelecto. Não obstante, aquilo, a que o intelecto atribui a intenção de predicabilidade, compondo-o com outro, não é a própria intenção de gênero, mas antes aquilo a que o intelecto atribui a intenção de gênero, como o que é significado por este nome animal.

43 – Fica, assim, claro como a essência ou natureza está para a noção de espécie; pois, a noção de espécie não é daquilo que lhe cabe de acordo com sua consideração absoluta, nem dos acidentes que a acompanham em conformidade com o ser que tem fora da alma, como a brancura e negrura, mas é dos acidentes que a acompanham em conformidade com o ser que tem no intelecto; e, deste modo, cabe-lhe também a noção de gênero ou diferença.

Capítulo IV

44 – Resta, agora, ver de que modo há essência nas substâncias separadas, isto é, na alma, na inteligência e na causa primeira.

45 – Pois, embora todos admitam a simplicidade da causa primeira, alguns porfiam em introduzir a composição de matéria e forma nas inteligências e nas almas; o iniciador desta posição parece ter sido Avicebron, autor do livro *Fonte da vida* (IV, 1-6, p. 211-226).

46 – Isto, porém, é incompatível com o que dizem em geral os filósofos, que as denominam substâncias separadas da matéria e provam que são destituídas de toda matéria. A principal demonstração disto procede da capacidade de inteligir que há nelas. Vemos, de fato, que as formas não são inteligíveis em ato, senão na medida em que estão separadas da matéria e de suas condições; nem se tornam inteligíveis em ato, a não ser pela capacidade da substância inteligente, na medida em que são recebidas nela e na medida em que são elaboradas por ela. Daí ser preciso que, em qualquer substância inteligente, haja total imunidade de matéria, de tal modo que, nem tenha a matéria parte de si, nem também seja como uma forma impressa na matéria, como é o caso das formas materiais.

47 – Nem pode alguém dizer que não é qualquer matéria que impede a inteligibilidade, mas apenas a matéria corporal. De fato, se isto se desse apenas em razão da matéria corporal, como a matéria não é denominada corporal senão na medida em que está sob a forma corporal, então seria preciso que a matéria obtivesse isto, quer dizer, impedir a inteli-

gibilidade da forma corporal. E isto não pode ser, pois também a própria forma corporal é inteligível em ato como as outras formas, na medida em que é abstraída da matéria. Donde não haver de modo nenhum composição de matéria e forma na alma ou na inteligência, caso se tome nelas a essência do modo como nas substâncias corporais. Mas, há aí composição de forma e ser. Daí, no comentário da nona proposição do *Livro das causas* dizer-se que a inteligência é o que tem forma e ser; e toma-se aí forma pela própria quididade ou natureza simples.

48 – E é fácil de ver como isto se dá. De fato, quaisquer que estejam entre si de modo que um seja causa de ser do outro, aquilo que tem noção de causa pode ter ser sem o outro, mas a recíproca não é verdadeira. Ora, acontece que o relacionamento da matéria e da forma é tal que a forma dá ser à matéria e, deste modo, é impossível que haja matéria sem alguma forma; no entanto, não é impossível haver alguma forma sem matéria. De fato, a forma, por ser forma, não tem dependência para com a matéria. Mas se se encontram algumas formas, que não podem ser senão na matéria, isto lhes advém na medida em que estão distanciadas do primeiro princípio que é o ato primeiro e puro. Donde aquelas formas, que estão próximas ao máximo do primeiro princípio, serem formas subsistentes por si, sem matéria. De fato, a forma, de acordo com a totalidade do seu gênero, não necessita da matéria, como foi dito. Tais formas são inteligências e, por isso, não é preciso que as essências ou quididades destas substâncias sejam algo de outro que a própria forma.

49 – Portanto, a essência da substância composta e da substância simples diferem nisto que a essência da substância composta não é apenas a forma, mas abarca a forma e a matéria; no entanto, a essência da substância simples é apenas a forma. E a partir disto são causadas outras duas diferenças.

50 – Uma é que a essência da substância composta pode ser significada como todo ou como parte, o que acontece por causa da designação da matéria, como foi dito. E, por isso, a essência da coisa composta não se predica, de não importa qual modo, da própria coisa composta; de fato, não se pode dizer que o homem seja sua quididade. Mas, a essência da coisa simples, que é sua forma, não pode ser significada senão como todo, visto que nada há aí, além da forma, à maneira de recipiente da forma. Deste modo, de qualquer maneira que se tomar a essência da substância simples, predica-se desta. Daí Avicena (*Metaf.*, V, 5, 90a, F) dizer que a quididade do simples é o próprio simples, pois não há algo de outro recebendo-a.

51 – A segunda diferença é que as essências das coisas compostas, por serem recebidas na matéria designada, multiplicam-se de acordo com a divisão dela, donde acontecer que alguns sejam o mesmo em espécie e diversos em número. Mas, como a essência da simples não é recebida na matéria, não pode haver aí tal multiplicação. E, deste modo, é preciso que não se encontrem nestas substâncias vários indivíduos da mesma espécie, mas tantas são as espécies quantos forem os indivíduos, como Avicena (*Metaf.*, V, 2, 87c, A; IX, 4, 105a-b; *De An.*, V, 3, 24b) diz explicitamente.

52 – Portanto, tais substâncias, embora sejam apenas formas sem matéria, não há nelas uma simplicidade completa nem são ato puro, mas têm uma mistura de potência. E isto se evidencia como segue. Com efeito, o que quer que não é da intelecção da essência ou quididade, isto é advindo de fora e fazendo composição com a essência; pois nenhuma essência pode ser inteligida sem aquilo que é parte da essência. Ora, toda essência ou quididade pode ser inteligida sem que algo seja inteligido do seu ser. Posso, de fato, inteligir o que é o homem ou a fênix e, no entanto,

ignorar se tem ser na natureza das coisas. Portanto, é claro que o ser é outro em relação à essência ou quididade.

53 – A não ser que acaso haja alguma coisa cuja quididade seja o seu próprio ser. E esta coisa não pode ser senão única e primeira, pois é impossível que se dê plurificação de algo, senão pela adição de alguma diferença, como a natureza do gênero se multiplica em espécies; ou por ser a forma recebida em matérias diversas, como a natureza da espécie se multiplica em diversos indivíduos; ou por um ser absoluto e outro recebido em algo, como, se houvesse um certo calor separado, seria, pela sua própria separação, outro em relação ao calor não separado. Se, porém, for afirmada alguma coisa que seja apenas ser, de tal modo que o próprio ser seja subsistente, este ser não receberá adição de diferença, pois já não seria apenas ser, mas ser e, além disso, alguma forma; muito menos receberá adição de matéria, pois já seria ser, não subsistente, mas material. Donde, resta que tal coisa que seja seu ser não pode ser senão uma só. Donde ser preciso que, em qualquer outra coisa, exceto ela, um seja o seu ser e outra a sua quididade, natureza ou forma. Donde ser preciso que nas inteligências haja ser além da forma; e, por isso, se disse que a inteligência é forma e ser.

54 – Tudo, porém, que cabe a algo, ou é causado pelos princípios de sua natureza, como a capacidade de rir no homem, ou advém de algum princípio extrínseco, como a luminosidade no ar pela influência do Sol. Ora, não pode ser que o próprio ser seja causado pela própria forma ou quididade da coisa, quero dizer, como causa eficiente; pois, assim, alguma coisa seria causa de si mesma, e alguma coisa levaria a si mesma a ser, o que é impossível. Portanto, é preciso que toda coisa tal que seu ser é outro que sua natureza, tenha o ser a partir de outro.

55 - E, como tudo que é por outro reduz-se ao que é por si, como a uma causa primeira, é preciso que haja alguma coisa que seja causa de ser para todas as coisas, por isto que ela própria é apenas ser; de outro modo, ir-se-ia ao infinito nas causas, pois toda coisa, que não é apenas ser, tem causa do seu ser, como foi dito. É claro, portanto, que a inteligência é forma e ser; e que tem o ser a partir do ente primeiro que é apenas ser; e este é a causa primeira que é Deus.

56 - Ora, tudo que recebe algo de outro, está em potência a respeito disso; e isto que é recebido nele é seu ato. Portanto, é preciso que a própria quididade ou forma, que é a inteligência, esteja em potência a respeito do ser que recebe de Deus; e esse ser é recebido a modo de ato. E, assim, encontram-se potência e ato nas inteligências, não porém forma e matéria, a não ser por equivocação. Daí, também, sofrer, receber, ser sujeito e tudo de semelhante que parece caber às coisas em razão da matéria, caber por equivocação às substâncias intelectuais e corporais, como diz o Comentador no terceiro livro *Sobre a alma* (*De An.*, III, 14, 123, R). E, visto que, como já foi dito, a quididade da inteligência é a própria inteligência, por isso sua quididade ou essência é o mesmo que ela própria é, e seu ser, recebido de Deus, é aquilo pelo que subsiste na natureza das coisas; e, por isso, tais substâncias são ditas por alguns compostas de pelo-que-é e o-que-é, ou de o-que-é e ser como diz Boécio (*De Hebdom.*, PL 64, 1311, C).

57 - E, uma vez que potência e ato são postos nas inteligências, não será difícil encontrar uma multidão de inteligências; o que seria impossível se não houvesse nenhuma potência nelas. Donde o Comentador dizer no terceiro livro *Sobre a alma* (*De An.*, III, 5, 118, R) que, se a natureza do intelecto possível fosse ignorada, não poderíamos encontrar multidão nas substâncias separadas. Há, portanto, distinção delas entre si, de acordo com o grau de potência e ato; de

tal modo que uma inteligência superior, que está mais próxima do primeiro, tem mais ato e menos potência e assim em relação às demais. E isto se encerra na alma humana que ocupa o último grau nas substâncias intelectuais.

58 – Donde seu intelecto possível estar para as formas inteligíveis como a matéria-prima, que ocupa o último grau no ser sensível, para as formas sensíveis, como o Comentador diz no terceiro livro *Sobre a alma* (*De An.*, III, 5, 13v). E, por isso, o Filósofo (*De An.*, III, 4, 429b, 31-430a, 1) a compara a uma tabuleta, na qual nada está escrito. E, por isso, visto ter entre as demais substâncias inteligíveis mais potência, torna-se, assim, tão próxima das coisas materiais, que uma coisa material é levada a participar do seu ser, de tal modo que da alma e do corpo resulta um ser num composto, embora esse ser, na medida em que é da alma, não seja dependente do corpo.

59 – E, deste modo, depois desta forma, que é a alma, encontram-se outras formas que têm mais potência e mais próximas da matéria, tanto que seu ser não é sem a matéria; no ser das quais encontra-se ordem e grau até às primeiras formas dos elementos, que são próximas ao máximo da matéria. Donde nem terem alguma operação, senão de acordo com a exigência das qualidades ativas e passivas e das demais, pelas quais a matéria se dispõe para a forma.

Capítulo V

60 – Visto, então, isto, fica claro como a essência se encontra em diversos. De fato, encontra-se um tríplice modo de ter essência nas substâncias.

61 – Com efeito, há algo, como Deus, cuja essência é seu próprio ser; e, por isso, encontram-se alguns filósofos que dizem que Deus não tem quididade ou essência, pois sua essência não é algo de outro que o seu ser.

62 – E, daí, segue-se que ele próprio não esteja num gênero, pois é preciso que tudo que está num gênero tenha quididade à parte de seu ser; visto a quididade ou natureza do gênero ou da espécie não se distinguir de acordo com a noção da natureza naqueles dos quais é gênero ou espécie, mas, o ser é diverso nos diversos.

63 – Nem é preciso, por dizermos que Deus é apenas ser, que caiamos no erro daqueles que disseram que Deus é aquele ser universal pelo qual não importa qual coisa é formalmente. Com efeito, este ser que Deus é, é de tal condição que nenhuma adição lhe pode ser feita; donde, pela sua própria pureza, ser um ser distinto de todo ser. Pelo que, no comentário da nona proposição do *Livro das causas*, diz-se que a individuação da primeira causa, que é apenas ser, se dá por sua pura bondade. O ser comum, porém, assim como não inclui na sua intelecção alguma adição, igualmente não inclui na sua intelecção alguma exclusão de adição; pois, se isto se desse, nada se poderia inteligir ser, no qual algo adicionar-se-ia sobre o ser.

64 - Semelhantemente, também, embora seja apenas ser, não é preciso que lhe faltem as restantes perfeições e excelências; até mesmo tem todas as perfeições que há em todos os gêneros, pelo que é dito simplesmente perfeito, como o Filósofo e o Comentador dizem no quinto livro da *Metafísica* (V, 16, 1021b, 30; V, 21, 62a, 10-13); mas, as tem de modo mais excelente que todas as coisas, pois nele são um, mas nas demais têm diversidade. E isto se dá porque todas essas perfeições cabem-lhe de acordo com seu ser simples; assim como, se alguém pudesse efetivar as operações de todas as qualidades por meio de uma qualidade, teria todas as qualidades nessa qualidade única. Assim, Deus tem todas as perfeições no seu próprio ser.

65 - De um segundo modo encontra-se essência nas substâncias criadas intelectuais, nas quais o ser é outro que a essência delas, embora a essência seja sem matéria. Donde seu ser não ser absoluto, mas recebido, e, por isso, limitado e finito à capacidade da natureza recipiente; mas, sua natureza ou quididade é absoluta, não recebida em alguma matéria. E, por isso, se diz no *Livro das causas* que as inteligências são infinitas inferiormente e finitas superiormente; de fato, são finitas quanto ao seu ser, que recebem de um superior; não são, porém, limitadas inferiormente, pois suas formas não se limitam à capacidade de alguma matéria que as receba.

66 - E, por isso, não se encontra em tais substâncias uma multidão de indivíduos numa espécie, como foi dito, a não ser na alma humana, por causa do corpo ao qual está unida. E, embora sua invidução dependa ocasionalmente do corpo, no que diz respeito à sua incoação, pois não adquire para si um ser individuado senão no corpo do qual é ato, no entanto não é preciso que, retirado o corpo, pereça a individuação. Pois, como tem ser absoluto, a partir do qual foi adquirido para si o ser individualizado, por

causa do ter sido feita forma deste corpo, aquele ser permanece sempre individualizado. E, por isso, Avicena (*De An.*, V, 3 e 4, 24b-c, B-C e 25a, B) diz que a individuação e multiplicação das almas depende do corpo, no que diz respeito ao seu princípio, mas não no que se refere ao seu fim.

67 – E, visto que nestas substâncias a quididade não é o mesmo que o ser, por isso são classificáveis no predicamento; e, por isso, encontram-se nelas gênero, espécie e diferença, embora suas diferenças próprias nos sejam ocultas. De fato, também nas coisas sensíveis, as próprias diferenças essenciais nos são desconhecidas; donde serem significadas por diferenças acidentais que se originam das essenciais, assim como a causa é significada pelo seu efeito, assim como bípede é posto como diferença do homem. Ora, os acidentes próprios das substâncias imateriais nos são desconhecidos; donde as suas diferenças não poderem ser por nós significadas nem por si, nem pelas diferenças acidentais.

68 – Cumpre, no entanto, saber que o gênero e a diferença não são assumidos do mesmo modo naquelas substâncias e nas substâncias sensíveis; pois, nas substâncias sensíveis, o gênero é assumido daquilo que é material na coisa, a diferença, porém, daquilo que é formal nela. Daí dizer Avicena no princípio do seu livro *Sobre a alma* (*De An.*, I, 1,1b-c, E) que a forma, nas coisas compostas de matéria e forma, "é a diferença simples do que é constituído por ela". Não, porém, de maneira que a própria forma seja a diferença, mas porque é o princípio da diferença, como o mesmo diz na sua *Metafísica* (V, 6, 90b, A); e diz-se que tal diferença é diferença simples porque é assumida daquilo que é parte da quididade da coisa, isto é, da forma. Como, porém, as substâncias imateriais são quididades simples, a diferença não pode ser assumida nelas daquilo que é parte da quididade, mas de toda

a quididade; e, por isso, no princípio do *Sobre a alma*, Avicena diz que "não têm diferença simples senão as espécies cujas essências são compostas de matéria e forma" (*De An.*, I, 1b, E).

69 – Semelhantemente, o gênero é também assumido nelas a partir de toda a essência, no entanto, de modo diferente. De fato, uma substância separada converge com outra na imaterialidade e diferem entre si no grau de perfeição, de acordo com o afastamento da potencialidade e aproximação do ato puro. E, por isso, o gênero é assumido nelas daquilo que as acompanha na medida em que são imateriais, como a intelectualidade ou algo de semelhante. Daquilo, porém, de que deriva nelas o grau de perfeição, é assumida nelas a diferença, desconhecida, no entanto, para nós. Nem é preciso que estas diferenças sejam acidentais, visto serem de acordo com a maior e menor perfeição, que não diversificam a espécie. De fato, o grau de perfeição ao receber a mesma forma não diversifica a espécie, como o mais branco e o menos branco no participar a brancura do mesmo tipo. Mas, o grau diverso de perfeição nas próprias formas ou naturezas participadas diversifica a espécie, assim como a natureza procede por graus das plantas aos animais, por meio de alguns que são intermediários entre os animais e as plantas, de acordo com o Filósofo no livro VII *Sobre os animais* (*De Hist. Animal.*, VIII, 1, 588b, 4-14). Nem é também necessário que a divisão das substâncias intelectuais seja sempre por duas diferenças verdadeiras, pois isto é impossível de acontecer em todas as coisas, como o Filósofo diz no livro XI *Sobre os animais* (*De Part. Animal.*, I, 2, 642b, 5-7).

70 – De um terceiro modo, encontra-se a essência nas substâncias compostas de matéria e forma, nas quais tanto o ser é recebido e finito, por terem o ser a partir de outro, quanto, além disso, a natureza ou quididade delas é recebida na matéria assi-

nalada. E, por isso, são finitas, tanto superior quanto inferiormente; e nelas já é possível a multiplicação dos indivíduos numa espécie, por causa da divisão da matéria assinalada. E acima foi dito como a essência está para as intenções lógicas, nestas substâncias.

Capítulo VI

71 – Resta agora ver como há essência nos acidentes, pois foi dito como há em todas as substâncias.

72 – E, visto que, como foi dito, a essência é aquilo que é significado pela definição, é preciso que tenham essência da maneira como têm definição. Ora, têm uma definição incompleta, pois não podem ser definidos a não ser que o sujeito seja posto na sua definição; e isto é assim porque não têm ser por si separado do sujeito; mas, assim como da forma e da matéria resulta o ser substancial quando se compõem, igualmente, do acidente e do sujeito resulta o ser acidental, quando o acidente advém ao sujeito. E assim também nem a forma substancial nem a matéria têm essência completa, pois, na definição da forma substancial, é preciso que seja posto aquilo de que é forma; e, assim, sua definição se dá pela adição de algo que está fora do seu gênero, assim como a definição da forma acidental também. Daí também na definição da alma ser posto o corpo pelo estudioso da natureza que considera a alma apenas na medida em que é forma do corpo físico.

73 – No entanto, as formas substanciais e acidentais diferem muito, pois, assim como a forma substancial não tem por si ser absoluto sem aquilo ao qual advém, igualmente aquilo ao qual advém, isto é, a matéria também não; e, assim, da conjunção de ambas resulta aquele ser no qual a coisa subsiste por si e delas faz-se um uno por si; por isso, da conjunção delas resulta uma certa essência. Don-

de a forma, embora considerada em si não tenha uma noção completa de essência, é parte de uma essência completa. Mas, aquilo ao qual o acidente advém é um ente completo em si, subsistente no seu ser, o qual ser precede, de fato, naturalmente o acidente que sobrevém. E, assim, o acidente sobreveniente, pela conjunção de si com aquilo ao qual advém, não causa aquele ser no qual a coisa subsiste, pelo qual a coisa é ente por si, mas causa um certo ser segundo, sem o qual a coisa subsistente pode ser inteligida ser, assim como o primeiro pode ser inteligido sem o segundo. Daí, do acidente e do sujeito não fazer-se um uno por si, mas um uno por acidente. E, por isso, da conjunção deles não resulta uma certa essência, como da conjunção da forma e da matéria; razão por que o acidente nem tem noção de essência completa, nem é parte de uma essência completa, mas, assim como é um ente sob um certo aspecto, igualmente tem também essência sob um certo aspecto.

74 – Mas, porque aquilo que é denominado ao máximo e o mais verdadeiramente em qualquer gênero é causa dos que estão depois naquele gênero, assim como o fogo, que está no limite da quentura, é causa do calor nas coisas quentes, como se diz no livro II da *Metafísica* (II, 1, 993b, 24), igualmente, é preciso que a substância, que é o primeiro no gênero do ente, tendo essência o mais verdadeiramente e ao máximo, seja causa dos acidentes, que participam da noção de ente de modo secundário e como que sob um certo aspecto.

75 – O que acontece, no entanto, diversamente. Pois, de fato, sendo a matéria e a forma as partes da substância, assim, alguns acidentes seguem-se principalmente à forma e alguns à matéria. Ora, encontra-se alguma forma, como a alma intelectual, cujo ser não depende da matéria; mas, a matéria não tem ser senão pela forma. Donde, nos acidentes que se seguem à forma, há algo que não tem comu-

nicação com a matéria, como é o inteligir, que não se dá por órgão corporal, como o Filósofo prova no livro III *Sobre a alma* (III, 4, 429a, 24-27; 429b, 3). Há, porém, alguns dos que se seguem à forma, que têm comunicação com a matéria, como o sentir; mas, nenhum acidente segue-se à matéria sem comunicação com a forma.

76 – No entanto, nos acidentes, que se seguem à matéria, encontra-se uma diversidade. Pois, alguns acidentes seguem-se à matéria de acordo com a ordem que têm para com uma forma especial, como o masculino e o feminino nos animais, cuja diversidade reduz-se à matéria como se diz no livro X da *Metafísica* (X, 9, 1058b, 21-23); donde, removida a forma do animal, os referidos acidentes não permanecem senão por equivocação. Alguns, porém, seguem-se à matéria de acordo com a ordem que tem para com uma forma geral e, portanto, removida a forma especial, ainda permanecem nela; assim como a negridão da pele está num etíope por causa da mistura dos elementos e não por causa da alma; e, por isso, permanece nele depois da morte.

77 – E, porque cada coisa individua-se pela matéria e é colocada num gênero ou espécie pela sua forma, assim, os acidentes que se seguem à matéria são acidentes do indivíduo, de acordo com os quais também os indivíduos da mesma espécie diferem entre si. No entanto, os acidentes que se seguem à forma são afecções próprias do gênero ou da espécie; donde se encontrarem em todos que participam da natureza do gênero ou da espécie, assim como a capacidade de rir segue-se à forma no homem, porque o riso acontece por alguma apreensão da alma do homem.

78 – Cumpre também saber que os acidentes às vezes são causados pelos princípios essenciais conforme um ato perfeito, assim como o calor no fogo que sempre é quente; às vezes, porém, confor-

me apenas à aptidão, mas o complemento advém de um agente exterior, assim como a diafaneidade no ar, que se completa exteriormente pelo corpo luminoso. Quando assim, a aptidão é acidente inseparável; mas o complemento que advém por algum princípio que está fora da essência da coisa ou que não entra na constituição da coisa, é separável, assim como o mover-se e similares.

79 – Cumpre, também, saber que o gênero, a espécie e a diferença são tomados nos acidentes de outra maneira que nas substâncias. Pois, de fato, nas substâncias faz-se um uno por si da forma substancial e da matéria, resultando uma certa natureza da conjunção delas, que é propriamente colocada no predicamento da substância. Assim, nas substâncias, os nomes concretos, que significam o composto, são propriamente ditos estar num gênero, como espécies ou gêneros, como, por exemplo, homem ou animal. No entanto, a forma ou a matéria não estão num predicamento deste modo, a não ser por redução, assim como os princípios são ditos estar num gênero. Ora, do acidente e do sujeito não se faz um uno por si; donde não resultar da conjunção deles alguma natureza à qual a intenção de gênero ou de espécie possa ser atribuída. Donde os nomes acidentais, usados de modo concreto, não serem postos num predicamento como espécie ou gênero como, por exemplo, branco ou músico, a não ser por redução, mas apenas na medida em que são significados em abstrato como, por exemplo, brancura e música.

80 – E porque os acidentes não são compostos de matéria e forma, assim o gênero não pode ser neles tomado da matéria, e a diferença da forma, como nas substâncias compostas. Mas é preciso que o gênero primeiro seja tomado do próprio modo de ser, na medida em que o ente é dito dos dez gêneros dos predicamentos diversamente de acordo com o

anterior e o posterior; assim como a quantidade é denominada por ser medida da substância, a qualidade na medida em que é disposição da substância e igualmente quanto aos demais, de acordo com o Filósofo no livro IX da *Metafísica* (IV, 2, 1003a, 30-b, 10).

81 – No entanto, as diferenças são tomadas neles da diversidade dos princípios pelos quais são causados. E, como as afecções próprias são causadas pelos princípios próprios do sujeito, deste modo o sujeito é posto na definição deles no lugar da diferença, se são definidos em abstrato, na medida em que estão propriamente no gênero; assim como se diz que a aduncidade é a curvatura do nariz; mas, aconteceria o contrário se a definição deles fosse tomada conforme são denominados de modo concreto. Pois, assim, o sujeito seria posto na sua definição como gênero; pois, então, definir-se-iam a modo das substâncias compostas, nas quais a noção do gênero é tomada da matéria, assim como dizemos que o adunco é o nariz curvo.

82 – Dá-se também algo semelhante se um acidente for princípio de outro acidente, assim como o princípio da relação é a ação e a recepção e a quantidade; e, por isso, o Filósofo divide a relação de acordo com estes no livro V da *Metafísica* (V, 5, 1020b-1021b). Mas, como os princípios próprios dos acidentes nem sempre são manifestos, por isso tomamos às vezes as diferenças dos acidentes de seus efeitos, assim como viva e pálida são chamadas diferenças da cor que são causadas pela abundância ou escassez de luz pelo que são causadas as diversas espécies de cor.

Conclusão

83 – Fica, assim, portanto, claro como há essência nas substâncias e nos acidentes; e como nas substâncias compostas e nas simples; e de que maneira as intenções lógicas universais se encontram em todos estes; exceto o primeiro que está no limite da simplicidade, ao qual não cabe a noção de gênero ou de espécie e, por conseguinte, nem definição por causa de sua simplicidade; no qual esteja o fim e a consumação deste discurso. Amém.

Vozes de Bolso

- *Assim falava Zaratustra* – Friedrich Nietzsche
- *O Príncipe* – Nicolau Maquiavel
- *Confissões* – Santo Agostinho
- *Brasil: nunca mais* – Mitra Arquidiocesana de São Paulo
- *A arte da guerra* – Sun Tzu
- *O conceito de angústia* – Søren Aabye Kierkegaard
- *Manifesto do Partido Comunista* – Friedrich Engels e Karl Marx
- *Imitação de Cristo* – Tomás de Kempis
- *O homem à procura de si mesmo* – Rollo May
- *O existencialismo é um humanismo* – Jean-Paul Sartre
- *Além do bem e do mal* – Friedrich Nietzsche
- *O abolicionismo* – Joaquim Nabuco
- *Filoteia* – São Francisco de Sales
- *Jesus Cristo Libertador* – Leonardo Boff
- *A Cidade de Deus – Parte I* – Santo Agostinho
- *A Cidade de Deus – Parte II* – Santo Agostinho
- *O conceito de ironia constantemente referido a Sócrates* – Søren Aabye Kierkegaard
- *Tratado sobre a clemência* – Sêneca
- *O ente e a essência* – Santo Tomás de Aquino
- *Sobre a potencialidade da alma* – De quantitate animae – Santo Agostinho
- *Sobre a vida feliz* – Santo Agostinho
- *Contra os acadêmicos* – Santo Agostinho
- *A Cidade do Sol* – Tommaso Campanella
- *Crepúsculo dos ídolos ou Como se filosofa com o martelo* – Friedrich Nietzsche
- *A essência da filosofia* – Wilhelm Dilthey
- *Elogio da loucura* – Erasmo de Roterdã
- *Utopia* – Thomas Morus
- *Do contrato social* – Jean-Jacques Rousseau
- *Discurso sobre a economia política* – Jean-Jacques Rousseau
- *Vontade de potência* – Friedrich Nietzsche
- *A genealogia da moral* – Friedrich Nietzsche
- *O banquete* – Platão
- *Os pensadores originários* – Anaximandro, Parmênides, Heráclito
- *A arte de ter razão* – Arthur Schopenhauer
- *Discurso sobre o método* – René Descartes
- *Que é isto – A filosofia?* – Martin Heidegger
- *Identidade e diferença* – Martin Heidegger
- *Sobre a mentira* – Santo Agostinho
- *Da arte da guerra* – Nicolau Maquiavel
- *Os direitos do homem* – Thomas Paine
- *Sobre a liberdade* – John Stuart Mill

- *Defensor menor* – Marsílio de Pádua
- *Tratado sobre o regime e o governo da cidade de Florença* – J. Savonarola
- *Primeiros princípios metafísicos da Doutrina do Direito* – Immanuel Kant
- *Carta sobre a tolerância* – John Locke
- *A desobediência civil* – Henry David Thoureau
- *A ideologia alemã* – Karl Marx e Friedrich Engels
- *O conspirador* – Nicolau Maquiavel
- *Discurso de metafísica* – Gottfried Wilhelm Leibniz
- *Segundo tratado sobre o governo civil e outros escritos* – John Locke
- *Miséria da filosofia* – Karl Marx
- *Escritos seletos* – Martinho Lutero
- *Escritos seletos* – João Calvino
- *Que é a literatura?* – Jean-Paul Sartre
- *Dos delitos e das penas* – Cesare Beccaria
- *O anticristo* – Friedrich Nietzsche
- *À paz perpétua* – Immanuel Kant
- *A ética protestante e o espírito do capitalismo* – Max Weber
- *Apologia de Sócrates* – Platão
- *Da república* – Cícero
- *O socialismo humanista* – Che Guevara
- *Da alma* – Aristóteles
- *Heróis e maravilhas* – Jacques Le Goff
- *Breve tratado sobre Deus, o ser humano e sua felicidade* – Baruch de Espinosa
- *Sobre a brevidade da vida & Sobre o ócio* – Sêneca
- *A sujeição das mulheres* – John Stuart Mill
- *Viagem ao Brasil* – Hans Staden
- *Sobre a prudência* – Santo Tomás de Aquino
- *Discurso sobre a origem e os fundamentos da desigualdade entre os homens* – Jean-Jacques Rousseau
- *Cândido, ou o otimismo* – Voltaire
- *Fédon* – Platão
- *Sobre como lidar consigo mesmo* – Arthur Schopenhauer
- *O discurso da servidão ou O contra um* – Étienne de La Boétie
- *Retórica* – Aristóteles
- *Manuscritos econômico-filosóficos* – Karl Marx
- *Sobre a tranquilidade da alma* – Sêneca
- *Uma investigação sobre o entendimento humano* – David Hume
- *Meditações metafísicas* – René Descartes
- *Política* – Aristóteles

Vozes de Bolso

EDITORA VOZES LTDA.
Rua Frei Luís, 100 – Centro – Cep 25689-900 – Petrópolis, RJ
Tel.: (24) 2233-9000 – E-mail: vendas@vozes.com.br